EILA BRIOSCHI

IL MIO
DIARIO
DI ITALIANO

Una sfida
in 30 giorni
per pensare
e creare
in italiano

ALMA
Edizioni

Come usare questo diario

- Portalo sempre con te.
- Fai un esercizio al giorno per un mese.
- Non è necessario rispettare l'ordine delle attività.
- Vai fino alla fine di ogni attività per ottenerne un vero beneficio.
- Fai una pausa durante il fine settimana per recuperare ispirazione ed energia.
- Ogni settimana cerca un «premio italiano» per te (un libro, una canzone, una rivista, un prodotto gastronomico, un bicchiere di vino, un'uscita con un amico italiano, un caffè al bar, una serata in pizzeria, un cinema, un concerto o una mostra di un artista italiano, ecc.).
- Cosa ti serve: una matita, una gomma, una forbice, della colla, delle matite colorate e ... un po' di FANTASIA!

How to use this journal

- Always carry it with you.
- Do one exercise a day for a month.
- You don't need to follow the exercise order.
- Do exercises thoroughly for best results.
- Take a break on weekends to regain inspiration and energy.
- Every week get yourself an «Italian treat» (a book, a song, a magazine, a delicatessen, a glass of wine, a chat with an Italian friend, an espresso, a dinner in a pizzeria, an Italian movie in a theater, a concert or an exhibition on an Italian artist, etc.).
- What you need: a pencil, an eraser, a pair of scissors, some glue, colored pencils and... a bit of CREATIVITY!

Indice delle icone

COLORA
TAGLIA
ASCOLTA
GUARDA
CUCINA
SCRIVI
LEGGI
CERCA
RICORDA
INCOLLA
FOTOGRAFA
ESCI
DISEGNA
PARLA
CANTA

Contratto

Completa il tuo contratto con una penna colorata dentro alla Torre pendente

IO (NOME)

M' IMPEGNO A PORTARE
A TERMINE QUESTO DIARIO ITALIANO
E A FARE OGNI GIORNO
LE ATTIVITÀ PROPOSTE PER LA
DURATA DI UN MESE

Firma: _____ Data: _____

1ª SETTIMANA

Pronti? Via! Comincia la sfida ...

Vai alla prossima pagina e
comincia il tuo percorso.

Durante questi giorni, scrivi in
cima alle montagne le parole e le
informazioni nuove che trovi.

Il mandala delle mie attività

> "Ogni nuovo mattino, uscirò per
> le strade cercando i colori."
> Cesare Pavese

Sai qual è il significato
dei colori della bandiera
d'Italia? Scrivilo a PAG. 5.

Il colore è una vera terapia!

A. QUESTO È IL PRIMO GIORNO DEL TUO
DIARIO D'ITALIANO CHE TI ACCOMPAGNERÀ
PER UN MESE! COME TI SENTI? COLORA IL
PRIMO RAGGIO DEL MANDALA SECONDO I
COLORI DELLA LEGENDA.

B. OGNI GIORNO, ALLA FINE DELLA TUA
ATTIVITÀ QUOTIDIANA, COLORA UN RAGGIO
DEL MANDALA.
LA STELLA ALLA FINE DI OGNI ATTIVITÀ TI
RICORDERÀ DI FARLO.

ALLA FINE DEL MESE AVRAI L'UMORE DEL
TUO MESE E L'EFFETTO CHE L'ITALIANO HA
SULLA TUA VITA!

I COLORI DEL TUO MANDALA

POSITIVO/A
CALMO/A
NERVOSO/A
FELICE

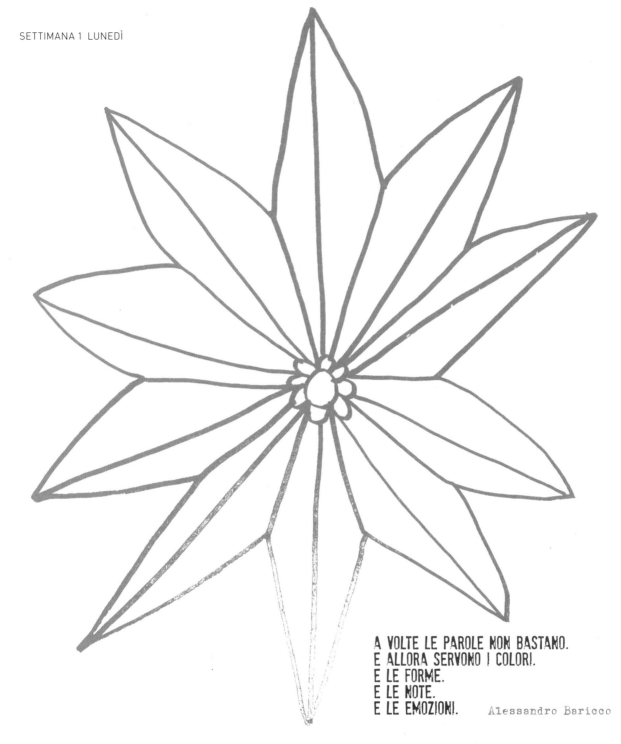

A VOLTE LE PAROLE NON BASTANO.
E ALLORA SERVONO I COLORI.
E LE FORME.
E LE NOTE.
E LE EMOZIONI.

Alessandro Baricco

Il mio quadro visivo

"La memoria è tesoro e custode di tutte le cose"
Cicerone

Che cosa vuol
dire l'espressione
"fare da Cicerone
a qualcuno"? Trova
la definizione e
scrivila a PAG. 5.

Avere un quadro visivo ci
consente di ricordare più
facilmente i nostri obiettivi e
di averli sempre a portata di
mano.

A. A. TROVA DELLE IMMAGINI E DELLE
SCRITTE SU GIORNALI O RIVISTE ITALIANE
CHE RAPPRESENTINO I TUOI OBIETTIVI PER
QUESTO MESE ITALIANO.

B. ADESSO INCOLLA LE IMMAGINI E LE
SCRITTE SULLA PAGINA ACCANTO E CREA
IL TUO QUADRO VISIVO.

C. RITAGLIA IL TUO QUADRO E APPENDILO IN
MODO DA POTERLO VEDERE OGNI GIORNO.

il mio mese italiano

CONSIGLIO: Aggiungi
delle scritte, dei
disegni, cancella delle
parole, riempi tutti gli
spazi per rendere il tuo
quadro il più possibile
personale.

D. PUOI FARE ALTRI QUADRI VISIVI, A SECONDA DEGLI OBIETTIVI CHE VUOI RAGGIUNGERE. AD ESEMPIO, PUOI FARE UN QUADRO CON LE IMMAGINI DELLE PAROLE CHE VUOI IMPARARE, UN QUADRO PER I VERBI, UNO PER I MONUMENTI, ECC.

PUOI APPENDERLI IN UN POSTO BEN VISIBILE. OGNI GIORNO QUANDO PASSI DAVANTI AI TUOI QUADRI, RIPETI I VERBI, I NOMI DEI MONUMENTI, ECC.

CONSIGLIO: mentre guardi il tuo quadro, ricorda che "Non basta guardare, occorre guardare con occhi che vogliono vedere, che credono in quello che vedono." Galileo Galilei

Aggiungi un posto a tavola...

"Hai mangiato?"
È la più autentica espressione d'amore"
Laura Morante

Come dev'essere per te il cibo? Descrivilo a PAG. 5.

Si sa che agli italiani piace mangiare piatti della gastronomia locale e trascorrere molto tempo a tavola in buona compagnia! Forse questo è anche uno dei motivi per cui il movimento dello Slow Food è nato proprio in Italia.

A. QUALI TRA QUESTE PAROLE TI FANNO PENSARE AL MOVIMENTO DELLO SLOW FOOD? RISCRIVILE DENTRO LA CHIOCCIOLA

Certo! È fatta in casa, con i prodotti dell'orto!

Mm, che buona questa zuppa! L'hai fatta tu?

(chiocciola con le parole: sostenibile, agricoltura, mercati contadini, salute, mangiar bene, proteggere, ambiente)

BIODIVERSITÀ, CONTADINI, FAST FOOD, CORRERE, VELOCITÀ, COMMERCIO ALL'INGROSSO, AGRICOLTURA, TERRA MADRE, AMBIENTE, EQUO, GIUSTO, SOSTENIBILE, SUPERMERCATI, SEMI, RIDURRE, ORTO, SALUTE, GLOBALIZZAZIONE, MERCATI CONTADINI, GASTRONOMIA, MANGIAR BENE, PROTEGGERE, ACCELERARE, PRODUZIONE A CATENA, ECONOMIA LOCALE.

"Un piatto di spaghetti aglio, olio e peperoncino è un vero toccasana"
Umberto Veronesi

Questa frase dell'oncologo Umberto Veronesi ci insegna che il segreto della buona cucina si nasconde nella semplicità.

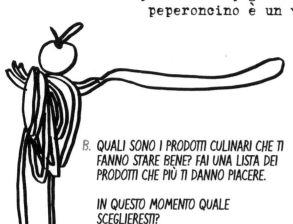

B. QUALI SONO I PRODOTTI CULINARI CHE TI FANNO STARE BENE? FAI UNA LISTA DEI PRODOTTI CHE PIÙ TI DANNO PIACERE.

IN QUESTO MOMENTO QUALE SCEGLIERESTI?

....

C. INVENTA IL TUO MANIFESTO DEL BUON MANGIARE NELLA PROSSIMA PAGINA. TROVA UN'IMMAGINE O UN SIMBOLO PER IL TUO MANIFESTO (UN PO' COME LA CHIOCCIOLA DELLO SLOW FOOD) E DESCRIVILO CON TRE AGGETTIVI.

D. FAI UNA FOTOCOPIA POSSIBILMENTE A COLORI DEL TUO MANIFESTO E APPENDILO IN CASA, IN UFFICIO O IN UN POSTO IN CUI ANCHE GLI ALTRI POSSANO VEDERLO.

I MIEI PRODOTTI PER STARE BENE

☑ l'aqua

☐ la frutta

☐ le noccioline

☐ la carne

☐ le verdure

SALUTE

CONSIGLIO: vai sul sito slowfood.it e iscriviti alla Newsletter di Slow Food Italia per continuare ad informarti in italiano sugli eventi di questo movimento.

Descriviamo con i cinque sensi

"Tutto ciò che sentiamo è un'opinione, non la realtà.
Tutto ciò che vediamo è una prospettiva, non la verità"

Marco Aurelio

Sentire e vedere sono dei verbi legati ai cinque sensi. Ne conosci altri? Scrivili a PAG. 5.

Quali sono gli aggettivi per descrivere i cinque organi sensoriali?

Eccone alcuni:

APPICCICOSO, ACRE, BOLLENTE, ALTO, SOFFOCANTE, INCOLORE, MELODIOSO, PICCOLO, SAPORITO, PUZZOLENTE, BASSO, LISCIO, PEPATO, STONATO, DURO, PICCANTE, LARGO, ELASTICO, LUNGO, AMARO, FREDDO, ASPRO, SCORDATO, BRILLANTE, GIGANTESCO, PROFUMATO, MALEODORANTE, GHIACCIATO, CIRCOLARE, TAGLIENTE, TRIANGOLARE, UNTO, VELLUTATO, SQUISITO, MORBIDO, VELENOSO, AGRODOLCE, RUMOROSO, AROMATICO, COLORATO.

A. A QUALE DEI CINQUE SENSI SI RIFERISCONO QUESTI AGGETTIVI? SCRIVI GLI AGGETTIVI NEI BARATTOLI CORRISPONDENTI.

B. CONOSCI ALTRI AGGETTIVI LEGATI AI CINQUE SENSI? AGGIUNGILI NEI BARATTOLI.

touch — TATTO
hearing — UDITO
taste — GUSTO
smell — OLFATTO
sight — VISTA

Che cosa possiamo descrivere
attraverso i cinque sensi?

C. CHIUDI GLI OCCHI, ANNUSA UN CIBO, UN OGGETTO O UN LIQUIDO, DESCRIVILO E FAI UN DISEGNO. PUOI ANCHE SPRUZZARE SU QUESTA PAGINA UN PROFUMO!

CHIUDI GLI OCCHI, ASSAGGIA UN CIBO, DESCRIVILO E FAI UN DISEGNO.

CHIUDI GLI OCCHI, DESCRIVI UN SUONO E FAI UN DISEGNO.

PRENDI UNA FOTO O UN'IMMAGINE, DESCRIVILA E ATTACCALA QUI.

PRENDI IN MANO UN OGGETTO, DESCRIVILO E FAI UN DISEGNO. PUOI ATTACCARE QUI UN PEZZO DEL TUO OGGETTO O DEL TUO MATERIALE!

D. SCRIVI NELLA TABELLA I PRIMI TRE AGGETTIVI CHE TI VENGONO IN MENTE, IN ORDINE D'IMPORTANZA, PER DESCRIVERE LE DIECI COSE DELLA LISTA. POI ACCANTO ALL'AGGETTIVO SCRIVI TRA PARENTESI IL NOME DEL SENSO CHE USI, COME NELL'ESEMPIO.

CONSIGLIO: Non s'impara solo ascoltando e guardando, ma mettendo al lavoro tutti i sensi, come diceva Maria Montessori.

	1° aggettivo (senso)	2° aggettivo (senso)	3° aggettivo (senso)
arancia	arancione (vista)	dolce (gusto)	succosa (gusto)
pioggia	umido (tatto)	nuvoloso (vista)	rilassante (udito)
cannella	marrone (vista)	aromatico (gusto)	polveroso (tatto)
treno	veloce (vista)	rumoroso (udito)	elettrico (vista)
dentifricio	bianco (vista)	schiumosa (tatto)	fresco (gusto)
detersivo	liquido (tatto)	in polvere (tatto)	pulito (vista)
bicchiere	traslucida (vista)	fragile (tatto)	pesante (tatto)
marmellata	dolce (gusto)	amara (gusto)	rossa (vista)
cuscino	morbido (tatto)	accogliente (tatto)	elegante (vista)
uccelli	colorati (vista)	rumorosi (udito)	bellissimi (vista)

E. *I SENSI CHE USO DI PIÙ SONO:*

[ ] TATTO   [ ] OLFATTO   [ ] VISTA   [ ] GUSTO   [ ] UDITO

CONSIGLIO: Per imparare una lingua straniera è importante usare tutti i sensi, quindi non bisogna solo guardare e ascoltare, ma anche fare. Prova a mettere in pratica il metodo di Confucio: "Vedo e dimentico. Sento e ricordo. Faccio e comprendo".

F. TROVA ALTRI DIECI OGGETTI, CIBI O SUONI E COMPLETA LA TABELLA.

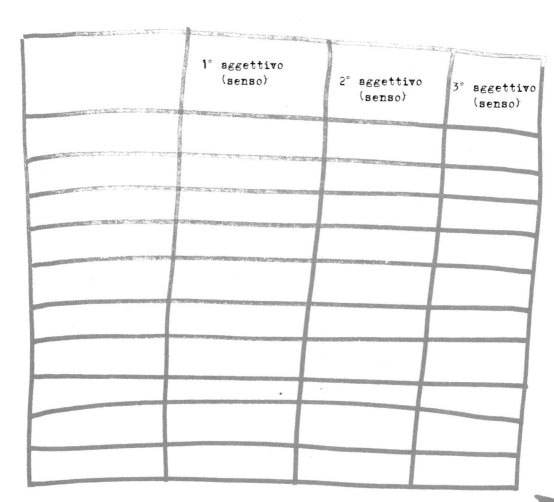

	1° aggettivo (senso)	2° aggettivo (senso)	3° aggettivo (senso)

G. INDICA QUALI SONO I SENSI CHE USI PIÙ SPESSO. IL RISULTATO È LO STESSO DEL PUNTO E?

[ ] IL RISULTATO È LO STESSO   [ ] IL RISULTATO È DIFFERENTE

[ ] TATTO   [ ] OLFATTO   [ ] VISTA   [ ] GUSTO   [ ] UDITO

COLORA IL TUO MANDALA

Oggi il diario lo scrivo in italiano!

"Scrivere è viaggiare senza la seccatura dei bagagli"
Emilio Salgari

Salgari ha scritto molti romanzi d'avventura. Trova alcuni suoi titoli e scrivili a PAG. 5.

A. OGGI DEDICA 10 O 15 MINUTI ALLA SCRITTURA DEL TUO DIARIO.

B. SCRIVI UNA PAGINA DI DIARIO IN ITALIANO ALMENO UNA VOLTA ALLA SETTIMANA PER UN MESE.

PUOI RACCONTARE QUELLO CHE HAI FATTO, OPPURE UN SOGNO, UN PROGETTO, UN FILM CHE HAI VISTO O UN LIBRO CHE STAI LEGGENDO.

SE NON TI BASTA LO SPAZIO PER SCRIVERE, PUOI PRENDERE UN ALTRO FOGLIO, PIEGARLO E ATTACCARLO NELLA PROSSIMA PAGINA.

C. ALLA FINE DEL MESE, RILEGGI PIÙ VOLTE IL TUO DIARIO AD ALTA VOCE. CHE EFFETTO TI FA?

....

....

CONSIGLIO: Puoi decidere di andare fuori a scrivere il tuo diario, magari in un bar italiano o in un posto che ti ricorda l'Italia o che t'ispira particolarmente.

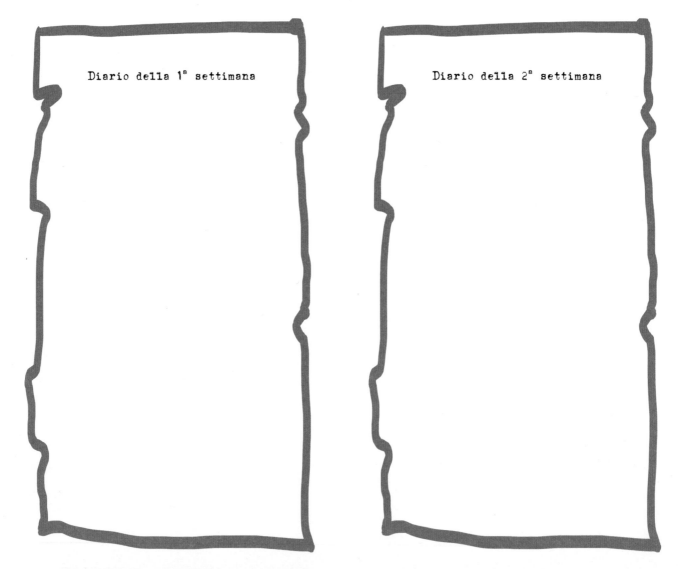

Diario della 1ª settimana

Diario della 2ª settimana

CONSIGLIO: Vuoi un esempio di diario italiano? Leggi Il giornalino di Gianburrasca di Vamba che racconta le avventure di Giannino detto Gian Burrasca.

Diario della 3ª settimana

Diario della 4ª settimana

Premio italiano della 1ª settimana

EVVIVA!
Hai finito la 1ª
settimana del tuo
diario italiano! Come
ti senti?

DATA

....

NOME

....

IL MIO PREMIO È

....

FIRMA

....

RICORDA: Quali sono
i tuoi obiettivi per
questo mese italiano?
Guarda il tuo quadro
visivo!

2ª SETTIMANA

OTTIMO! CONTINUA LA TUA SFIDA...

La tua seconda settimana comincia dalla prossima pagina.

Durante questi giorni, scrivi sulle isole e sul mare le parole e le informazioni nuove che trovi.

La sai l'ultima?

"La nostra realtà è tragica solo per un quarto:
il resto è comico. Si può ridere su quasi tutto"
Alberto Sordi

Lo sapevi che ridere
migliora la memoria?
Oggi ridi il più
possibile!

Non è facile ridere in una
lingua straniera e ancora di
più riuscire a far ridere gli
altri!

Le barzellette sono dei
brevi racconti umoristici e
divertenti.

A. *RICOSTITUISCI QUESTE DUE BARZELLETTE, COME NELL'ESEMPIO.*

<u>1. Pierino e la mamma</u>

a. Ma dimmi, dov'è questo povero vecchietto?

b. che sta vendendo i gelati!!!

c. Ma certo, Pierino.

d. per un povero vecchietto?

e. Mamma, mi daresti due euro

f. È all'angolo della strada

<u>2. Al lavoro</u>

a. cosa devo pensare?

b. Sì, Signor Direttore, cosa c'è?

c. Signor Rossi!

d. Questa è la quinta volta

e. Che è venerdì.

f. che Lei arriva in ritardo questa settimana,

B. ADESSO LEGGILE PIÙ VOLTE AD ALTA VOCE
E IMPARALE A MEMORIA. CHE EFFETTO TI
FANNO?

[ ] MI FANNO MORIRE DAL RIDERE
[ ] MI SONO PIACIUTE
[ ] NON MI FANNO RIDERE
[ ] NON MI SONO PIACIUTE
[ ] NON LE HO CAPITE

C. CONOSCI DELLE BARZELLETTE DIVERTENTI
NELLA TUA LINGUA? TRADUCILE IN
ITALIANO E SCRIVILE NELLE VIGNETTE.

D. ADESSO, PROVA A RACCONTARE AD ALTA
VOCE LE TUE BARZELLETTE TRADOTTE IN
ITALIANO. FANNO RIDERE COME NELLA
TUA LINGUA?

SE CONOSCI UN ITALIANO, PROVA A
RACCONTARGLIENE UNA PER VEDERE CHE
EFFETTO FA!

CONSIGLIO: Cerca una commedia
italiana divertente, con i
sottotitoli nella tua lingua
e fatti due risate! Puoi
guardare Perfetti sconosciuti
di Paolo Genovese oppure un
film con Roberto Benigni come
Il piccolo diavolo o Johnny
stecchino, o un altro grande
classico come Non ci resta
che piangere.

COLORA IL TUO MANDALA

Le mie citazioni

"Chi accumula libri accumula desideri; e chi ha molti desideri è molto giovane, anche a ottant'anni."
Italo Calvino

Conosci lo scrittore italiano Italo Calvino? Scrivi tre titoli dei suoi libri a PAG. 23

«Il Buon Lettore aspetta le vacanze con impazienza. Ha rimandato alle settimane che passerà in una solitaria località marina o montana un certo numero di letture che gli stanno a cuore e già pregusta la gioia delle sieste all'ombra, il fruscio delle pagine…»
Italo Calvino

«Puoi leggere, leggere, leggere, che è la cosa più bella che si possa fare in gioventù: e piano piano ti sentirai arricchire dentro, sentirai formarsi dentro di te quell'esperienza speciale che è la cultura…»
Pier Paolo Pasolini

A. INVENTA TU UNA FRASE SUL *BUON LETTORE* **E UNA SUL** *LEGGERE.* **POI SCRIVILE NELLE VIGNETTE.**

B. RACCOGLI SU QUESTO FOGLIO LE
   CITAZIONI PIÙ BELLE CHE CONOSCI (DI
   AUTORI ITALIANI O STRANIERI) PER NON
   DIMENTICARLE MAI PIÙ.

C. TROVA UN'IMMAGINE PER OGNI CITAZIONE.
   NON DIMENTICARE DI SCRIVERE SEMPRE
   L'AUTORE!

COLORA IL TUO' MANDALA

D. PER NON DIMENTICARE LE TUE CITAZIONI PREFERITE, CONTINUA A SCRIVERLE DAPPERTUTTO E A RECITARLE AD ALTA VOCE. METTI UNA X SULL'AZIONE CHE HAI COMPIUTO.

CONSIGLIO: Continua la tua raccolta di citazioni. Cerca nuove citazioni e scrivile nel tuo diario per non perderle mai più.

[ ] RIPETI LE CITAZIONI MENTRE PEDALI IN BICI

[ ] SCRIVI LE CITAZIONI DAPPERTUTTO

[ ] RIPETI LE CITAZIONI SOTTO LA DOCCIA

Vacanze in agriturismo

"Le radici sono importanti, nella vita di un uomo,
ma noi uomini abbiamo le gambe, non le radici,
e le gambe sono fatte per andare altrove."

Pino Cacucci

Viaggiare è....
Completa questa
frase a PAG. 23.

Casali, poderi, cascine, aziende, fattorie… l'offerta di agriturismi in Italia è in grande crescita e ogni struttura propone attività e prodotti diversi.

Esistono degli agriturismi nel tuo paese?

A. SE PENSI ALL'AGRITURISMO CHE PAROLE TI VENGONO IN MENTE?

....

....

....

....

Che tipo di agriturismo
sceglieresti tu?

B. INVENTA QUI L'AGRITURISMO IN CUI
VORRESTI ANDARE E IMMAGINA DI
ORGANIZZARCI UNA VACANZA.

TIPO DI VACANZA PROPOSTA
DALL'AGRITURISMO:

[ ] VACANZA SPORTIVA
[ ] VACANZA ENOGASTRONOMICA
[ ] VACANZA ROMANTICA
[ ] VACANZA BENESSERE
[ ] VACANZA PELLEGRINAGGIO
[ ] VACANZA ECOLOGICA
[ ] VACANZA CULTURALE

POSIZIONE:

[ ] IN COLLINA
[ ] IN MONTAGNA
[ ] SUL LAGO
[ ] AL MARE
[ ] IN CITTÀ
[ ] IN PIANURA

REGIONE D'ITALIA:

....

C. DISEGNA IN FONDO A QUESTO VIALE IL
TUO AGRITURISMO.

D. INVENTA UN MENÙ PER LA COLAZIONE (TORTE FATTE IN CASA, CAFFÈ, BEVANDE, ECC.).

E. FORSE PUOI TROVARNE UNO SIMILE DOVE PASSARE LE TUE PROSSIME VACANZE! VAI SUL SITO AGRITURISMO.IT E CERCA L'AGRITURISMO CHE PIÙ SI AVVICINA A QUELLO CHE HAI INVENTATO.

NOME DELL'AGRITURISMO:

....

REGIONE D'ITALIA:

....

COLORA IL TUO MANDALA

Tutti all'opera!

"Chi ha il cuore contento sempre canta"
Giovanni Verga

Ti piace cantare? Oggi cerca di cantare più volte al giorno.

L'Italia è la patria dell'opera con i suoi numerosissimi teatri lirici e i suoi noti compositori e cantanti lirici.

A. DOVE SI TROVANO I TEATRI LIRICI PIÙ FAMOSI D'ITALIA? UNISCI LA CITTÀ AL SUO TEATRO

TEATRO ALLA SCALA

TEATRO DELL'OPERA

LA FENICE

L'ARENA

VERONA

ROMA

VENEZIA

MILANO

B. È TEMPO DI CANTARE! CERCA SU INTERNET E ASCOLTA DUE O TRE VOLTE QUESTA FAMOSISSIMA ARIA DELL'OPERA LIRICA TURANDOT.

C. ADESSO CANTA ANCHE TU MENTRE ASCOLTI L'ARIA.

NESSUN DORMA! NESSUN DORMA!
TU PURE, O, PRINCIPESSA,
NELLA TUA FREDDA STANZA,
GUARDI LE STELLE
CHE TREMANO D'AMORE
E DI SPERANZA.
MA IL MIO MISTERO È CHIUSO IN ME,
IL NOME MIO NESSUN SAPRA!
NO, NO, SULLA TUA BOCCA LO DIRÒ
QUANDO LA LUCE SPLENDERA!
ED IL MIO BACIO SCIOGLIERA IL SILENZIO
CHE TI FA MIA!
(IL NOME SUO NESSUN SAPRÀ!...
E NOI DOVREM, AHIME, MORIR!)
DILEGUA, O NOTTE!
TRAMONTATE, STELLE!
TRAMONTATE, STELLE!
ALL'ALBA VINCERO!
VINCERO, VINCERO!

Turandot, di Giacomo Puccini

TITOLO: _ _ _ _ _ _ _ _ _   **AUTORE:** _ _ _ _ _ _ _ _

COLORA
IL TUO
MANDALA

D. ASCOLTA ALTRE ARIE DI OPERE ITALIANE.
COS'HAI ASCOLTATO?

SCRIVI QUI IL TESTO DELL'ARIA DELLA TUA
OPERA.

E. MENTRE ASCOLTI, CANTA E RIEMPI QUESTA
PAGINA DI COLORI.

RICORDA: hai già
scritto una pagina
di diario in italiano
questa settimana?
Se non l'hai ancora
fatto, vai a PAG. 20 e
scrivila oggi.

Leggere con le orecchie

"Saper ascoltare significa possedere, oltre al proprio, il cervello degli altri"
Leonardo da Vinci

Scrivi a PAG. 23 tre invenzioni di Leonardo da Vinci.

Hai letto l'ultimo libro di Elsa Morante?

No, ma l'ho ascoltato alla radio!

A. ASCOLTA UNA STORIA. VAI SU CLASSICIPODCAST.IT O LIBROAUDIO.IT E ASCOLTA UN RACCONTO O ALMENO UN CAPITOLO DI UN LIBRO IN ITALIANO.

TITOLO: ....

AUTORE: ....

CAPITOLO/ TITOLO DEL RACCONTO:

....

B. MENTRE ASCOLTI PER LA PRIMA VOLTA IL RACCONTO O IL CAPITOLO, PROVA A SCRIVERE SU QUESTA PAGINA ALCUNE PAROLE CHE SENTI E CHE TI SEMBRANO RILEVANTI.

ASCOLTO N.1

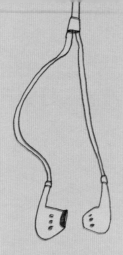

C. ADESSO ASCOLTA UNA SECONDA VOLTA
IL RACCONTO O IL CAPITOLO E SCRIVI LE
PAROLE CHE TI COLPISCONO DI PIÙ.

ASCOLTO N.2

D. HAI SCRITTO PIÙ VOLTE LA STESSA
PAROLA? CHE LEGAME C'È TRA QUESTE
PAROLE? PENSI DI POTER RIASSUMERE
IL RACCONTO CHE HAI SENTITO USANDO
QUESTE PAROLE?

RIASSUNTO

E. CHE EFFETTO TI FA LEGGERE CON LE
ORECCHIE? TI PIACE? È PIÙ DIFFICILE
ASCOLTARE O LEGGERE UN LIBRO IN
ITALIANO? PERCHÉ?

....

....

....

F. SE TI È PIACIUTO, DOMANI PROVA AD
ASCOLTARE UN ALTRO CAPITOLO!

COLORA
IL TUO
MANDALA

RICORDA: Per sviluppare
la produzione orale, è
importante sviluppare
la capacità dell'ascolto.
Ricordati di ascoltare
spesso canzoni, racconti
o la radio in italiano.

Premio italiano della 2ª settimana

EVVIVA!
Hai finito la 2ª settimana del tuo diario italiano!
Come ti senti?

DATA

....

NOME

....

IL MIO PREMIO È

....

FIRMA

....

RICORDA: Quali sono i tuoi obiettivi per questo mese italiano? Guarda il tuo quadro visivo!

3ª SETTIMANA

Sei a metà della sfida ... continua così!

La tua terza settimana comincia dalla prossima pagina.

Durante questi giorni, scrivi nel Canal Grande le parole e le informazioni nuove che trovi.

Un museo a cielo aperto

"Le città come i sogni sono costruite di desideri e di paure"
Italo Calvino

Scrivi a PAG. 40 il nome delle prime dieci città italiane che ti vengono in mente.

Si dice che il Belpaese sia un vero museo a cielo aperto, grazie ai suoi celebri monumenti!

A. COMPLETA LA VIGNETTA A DESTRA CON IL FAMOSO DETTO.

B. DOVE SI TROVANO QUESTI MONUMENTI ITALIANI? CERCA SU INTERNET I LUOGHI CHE NON CONOSCI. ATTENZIONE, AD ALCUNE CITTÀ PUÒ CORRISPONDERE PIÙ DI UN MONUMENTO.

Vedi Napoli e poi...

IL PONTE DEI SOSPIRI
LA CATTEDRALE DI SANTA MARIA DEL FIORE
LA GALLERIA VITTORIO EMANUELE II
LA BASILICA DI SAN MARCO
IL PANTHEON
LA TORRE DEGLI ASINELLI
L'ARENA
I NURAGHI
TRINITÀ DEI MONTI
IL BOSCO DI CAPODIMONTE

MILANO
FIRENZE
VENEZIA
ROMA
NAPOLI
BOLOGNA
VERONA

C. **QUALE DI QUESTI MONUMENTI VORRESTI VEDERE?**

....

IN QUALE CITTÀ SI TROVA?

....

DESCRIVI QUESTA CITTÀ CON UN SOLO...

AGGETTIVO

....

SENTIMENTO

....

VERBO

....

NOME DI UNA PERSONALITÀ

....

AVVENIMENTO

....

IMMAGINE:

D. ADESSO, FAI UNA PASSEGGIATA NEL LUOGO CHE PREFERISCI DELLA TUA CITTÀ. SCATTA DELLE FOTO DELLE COSE CHE PIÙ T'ISPIRANO, DEGLI EDIFICI O DEI MONUMENTI CHE PIÙ TI PIACCIONO.

E. CREA UN COLLAGE DELLA TUA CITTÀ CON LE TUE FOTO SU QUESTA CARTOLINA.

F. COM'È LA TUA CITTÀ ? DESCRIVI LA TUA CITTÀ CON UN SOLO...

AGGETTIVO

....

SENTIMENTO

....

VERBO

....

NOME DI UNA PERSONALITÀ

....

AVVENIMENTO

....

LE DESCRIZIONI DELLE DUE CITTÀ HANNO QUALCOSA IN COMUNE?

....

....

G. **RITAGLIA LA TUA CARTOLINA ED INVIALA A QUALCUNO!**

COME TESTO DELLA TUA CARTOLINA, PUOI METTERE LA TUA DESCRIZIONE DI PAG. 43.

COLORA IL TUO MANDALA

CONSIGLIO: prova a leggere alcuni racconti di Marcovaldo, le stagioni in città di Italo Calvino, sulla vita cittadina di Marcovaldo, un operaio.

Stile libero... oggi decido io cosa fare!

"L'uomo non è fatto per prendere decisioni. Basta
vederlo al ristorante, davanti a un menù"

Roberto Gervaso

A. QUESTE DUE PAGINE SONO TUTTE TUE. PUOI
FARCI QUELLO CHE VUOI! INVENTA LA
TUA ATTIVITÀ DEL GIORNO LEGATA ALLA
LINGUA E ALLA CULTURA ITALIANA.

QUALI MATERIALI TI PIACE USARE O TI
PIACEREBBE PROVARE?

[ ] FORBICI   [ ] COLLA
[ ] PENNARELLI [ ] MATITE COLORATE
[ ] RIVISTE   [ ] GIORNALI
[ ] PENNELLI   [ ] ACQUARELLI
[ ] PASTELLI   [ ] ....

DECIDI QUALI SUPPORTI USARE.

[ ] COLLAGE   [ ] DISEGNO
[ ] ORIGAMI   [ ] FOTO
[ ] CANZONI   [ ] FILM
[ ] RICETTE   [ ] LIBRI

SCEGLI ALMENO TRE ICONE DA USARE,
CIOÈ TRE AZIONI DA COMPIERE IN
QUEST'ATTIVITÀ.

COLORA
IL TUO'
MANDALA

Favoliamo, fantastichiamo!

"È sbagliato raccontare le favole
ai bambini per ingannarli, bisogna
raccontarle ai grandi per consolarli"
Marcello Marchesi

Prova ad imparare a
memoria questa frase
e ripetila più volte
mentre fai questa
attività.

In ogni regione italiana si
tramandano antiche leggende
che raccontano la storia e
le tradizioni dell'intero
stivale e che fanno parte
del patrimonio culturale e
artistico italiano.

A. FACCIAMO UN VIAGGIO TRA LE LEGGENDE
ITALIANE. ASSOCIA L'IMMAGINE AL NOME
DELLA LEGGENDA. CONOSCI QUESTE
LEGGENDE?

....

SAI A QUALI CITTÀ O REGIONI ITALIANE
APPARTENGONO?

1. ....

2. ....

3. ....

4. ....

CONOSCI ALTRE LEGGENDE ITALIANE?
SCRIVI IL NOME E TROVA O DISEGNA
UN'IMMAGINE CHE LA RAPPRESENTI.

LA MANDRAGOLA   LA BEFANA   LA BOCCA DELLA VERITÀ   PARTENOPE

1.

2.

3.

4.

5. _ _ _ _ _ _ _ _ _ _ _ _

B. QUAL È LA FIABA O LA STORIA CHE TI RACCONTAVANO DA PICCOLO CHE AMAVI DI PIÙ ASCOLTARE?

....

PROVA A RACCONTARLA IN ITALIANO. SCRIVI LA TUA STORIA IN QUESTA VIGNETTA.

C'era una volta...

C. TROVA UN'IMMAGINE O FAI UN DISEGNO IN QUESTA SECONDA VIGNETTA PER ILLUSTRARE LA STORIA.

D. PROVA A RIPETERE PIÙ VOLTE LA TUA STORIA E A MEMORIZZARLA.

COLORA IL TUO MANDALA

CONSIGLIO: quando racconti una storia, puoi parlare anche con il corpo o almeno con le mani, come fanno gli italiani! Le espressioni del volto e i gesti aiutano a focalizzare l'attenzione del pubblico.

La mia cucina italiana

"Le ricette di cucina sono un bene universale estremamente democratico, un tesoro che appartiene a tutti e che come le sette note può essere combinato in migliaia e migliaia di modi e diventare personale, a volte unico"

Paola Maugeri

Vai in cucina, apri gli armadi e il frigo e scrivi a PAG. 40 i nomi di tutti i prodotti che vedi.

A. PRENDI UN OROLOGIO E CRONOMETRA IL TEMPO. HAI DUE MINUTI PER SCRIVERE TUTTI I PIATTI ITALIANI CHE TI VENGONO IN MENTE. PRONTI, PARTENZA, VIA!

Facile, ci vogliono prodotti di qualità… e tanto amore!

Qual è il segreto per un piatto di pasta riuscito?

B. SAI DA QUALE REGIONE D'ITALIA PROVENGONO I TUOI PIATTI? CERCA LA LORO PROVENIENZA E SCRIVILA ACCANTO AL NOME CON UN ALTRO COLORE.

C. **QUALI SONO I PRODOTTI GASTRONOMICI ITALIANI CHE AMI DI PIÙ? CREA QUI LA TUA BIBBIA CULINARIA ITALIANA.**

– GLI INGREDIENTI ITALIANI CHE NON MANCANO MAI NELLA MIA CUCINA

....

....

....

– GLI INGREDIENTI ITALIANI CHE USO TUTTI I GIORNI (O QUASI)

....

....

....

– GLI INGREDIENTI ITALIANI PER PREPARARE UNA CENA SPECIALE CON GLI AMICI

....

....

....

– GLI INGREDIENTI ITALIANI CHE MI ISPIRANO FELICITÀ E BENESSERE

....

....

....

la mia bibbia culinaria della

gastronomia italiana

D. OGGI PROVA A CUCINARE UNO DEI TUOI
PIATTI ITALIANI PREFERITI. QUAL È?

....

E. CHE BONTÀ! FAI UNA FOTO DEL TUO PIATTO
E INCOLLALA QUI.

F. CHE VOTO DAI AL TUO PIATTO? DISEGNA
IL NUMERO DI STELLE, DA UNA A CINQUE,
INTORNO AL FOGLIO.

COLORA
IL TUO
MANDALA

RICORDA: Continua
la tua raccolta di
citazioni. Se hai
letto di recente
una bella citazione,
scrivila a PAG. 29.

Passeggiando in bicicletta...

"Nessuno può fermare la mia bicicletta"
Alfonsina Strada

Chi era Alfonsina
Strada? Scrivilo
a PAG. 40.

Caspita,
complimenti!
Mandami una
cartolina!

Parto per un
viaggio in bici
in Italia!

Hai mai sentito parlare di
cicloturismo? La bicicletta
è la soluzione migliore
per visitare un paese in
modo ecologico e in tutta
tranquillità, prendendo il
tempo di fermarsi.

A. INVENTA UN PERCORSO IN BICI IN GIRO
PER L'ITALIA. TROVA LA CARTINA DELLA
REGIONE O DELLA CITTÀ CHE VUOI
VISITARE E ATTACCALA QUI SOTTO. SE È
TROPPO GRANDE, PUOI PIEGARLA A METÀ.

B. TRACCIA SULLA MAPPA IL PERCORSO CHE
VUOI FARE. QUANTI GIORNI CI VOGLIONO
SECONDO TE?

C. *SE NON PUOI PARTIRE, IMMAGINA DI AVER*
FATTO QUESTO VIAGGIO E DI SCRIVERE UN
DIARIO CON FOTO E APPUNTI DEL VIAGGIO.

IL MIO VIAGGIO IMMAGINARIO IN BICI PER L'ITALIA

COLORA
IL TUO
MANDALA

CONSIGLIO: Stasera
guarda su youtube
alcune scene del
grande classico
del cinema italiano
Ladri di biciclette
di Vittorio De Sica.

Premio italiano della 3ª settimana

EVVIVA!
Hai finito la 3ª
settimana del tuo
diario italiano! Come
ti senti?

DATA

....

NOME

....

IL MIO PREMIO È

....

FIRMA

....

RICORDA: Quali sono
i tuoi obiettivi per
questo mese italiano?
Guarda il tuo quadro
visivo!

4ª SETTIMANA

Sta per cominciare la tua ultima
settimana di diario.

Durante i prossimi cinque giorni
scrivi sulla pista le parole e le
informazioni nuove che trovi.

Rassegna stampa

"Quando le informazioni mancano, le voci crescono"
Alberto Moravia

Oggi leggi, leggi e leggi ancora… in italiano! Scrivi a PAG. 56 quello che hai letto.

A. RITAGLIA DEI TITOLI DI GIORNALI O RIVISTE ITALIANE E DIVERTITI A COMPORRE DELLE NOTIZIE INVENTATE, UN PO' STRANE!

ATTACCA LE TUE NOTIZIE SULLA PROSSIMA PAGINA.

ECONOMIA E FINANZA

CRONACA

CULTURA

INCHIESTE

No, dai, racconta…!

CINEMA E SPETTACOLI

ESTERI   TEMPO

Allora, hai letto i giornali di oggi? Sai qual è la notizia del giorno?!

POLITICA   INTERVISTE

COLORA
IL TUO
MANDALA

NOTIZIE

B. LEGGI AD ALTA VOCE LE TUE NOTIZIE. CHE
EFFETTO TI FANNO?

[ ] FANNO RIDERE
[ ] SONO POETICHE
[ ] NON HANNO ALCUN SENSO
[ ] FANNO PAURA
[ ] SONO DIVERTENTI

C. FOTOCOPIA QUESTA PAGINA E ATTACCALA
IN UN POSTO VISIBILE. DIVERTITI AD
INVENTARE ALTRE NOTIZIE NEI PROSSIMI
GIORNI!

Vita d'artista

"Un'opera d'arte per divenire immortale deve sempre superare i limiti dell'umano senza preoccuparsi né del buon senso né della logica"

Giorgio De Chirico

Come dev'essere un'opera d'arte per te? Scrivilo in una frase a PAG. 56.

L'evento più importante dedicato all'arte in Italia è di sicuro la Biennale di Venezia a cui partecipano artisti di tutto il mondo.

A. **QUAL È L'EVENTO DEDICATO ALL'ARTE PIÙ GRANDE NEL TUO PAESE?**

....

B. *SCEGLI UN ARTISTA ITALIANO ANTICO, MODERNO O CONTEMPORANEO CHE TI PIACE.*

NOME DELL'ARTISTA:

....

CHE DOMANDE VORRESTI FARGLI? SCRIVILE NEL PRIMO QUADRO. SCEGLI UN COLORE DIVERSO PER OGNI DOMANDA.

C. *ADESSO INVENTA LE SUE RISPOSTE E SCRIVILE NEL SECONDO QUADRO. USA GLI STESSI COLORI PER LE DOMANDE E LE RISPOSTE.*

COLORA
IL TUO
MANDALA

D. INCOLLA QUI ACCANTO L'IMMAGINE DI
UN'OPERA DEL TUO ARTISTA.

E. INVENTA LA SUA GIORNATA DURANTE
IL PROCESSO DI REALIZZAZIONE DI
QUEST'OPERA.

LA MATTINA

A PRANZO

IL POMERIGGIO

A CENA

LA SERA

LA NOTTE

"UNA GIORNATA DI...(nome dell'artista)"

Parla come mangi!

"Le parole vanno raramente al posto giusto,
e solo per un tempo brevissimo. Per il resto
servono a parlare a vanvera, come adesso"

Elena Ferrante

Scrivi la prima
cosa che ti viene
in mente a PAG. 56.

Ecco solo alcuni esempi delle
numerosissime espressioni
idiomatiche della lingua
italiana.

A. **FAI UN DISEGNO PER ILLUSTRARE IL
SIGNIFICATO DI OGNUNA DI QUESTE FRASI.**

1. Avere le ali ai piedi

2. Attaccare bottone con qualcuno

3. Avere i nervi a pezzi

4. Avere un nodo alla gola

5. Avere una fame da lupo

6. Chiedere la luna

7. Essere in quattro gatti

NE CONOSCI ALTRE? 8. _____

B. ADESSO, COPRI LE FRASI E GUARDA SOLO
LE IMMAGINI. CERCA DI RICORDARTI
LE VARIE ESPRESSIONI E RIPETILE A
MEMORIA.

C. GUARDA I DISEGNI NELLA VIGNETTA E
IMMAGINA LE CARATTERISTICHE DEI DUE
PERSONAGGI. DAGLI ANCHE UN NOME E
DESCRIVILI.

PERSONAGGIO N. I ....

COSA FA DI SOLITO

DOVE ABITA

CHE LAVORO FA

PERSONAGGIO N. 2 ....

COSA FA DI SOLITO

DOVE ABITA

CHE LAVORO FA

D. ADESSO FAI INCONTRARE I TUOI
PERSONAGGI E SCRIVI UN DIALOGO TRA
DI LORO USANDO ALCUNE ESPRESSIONI
IDIOMATICHE.

E. GIRA PAGINA E CREA ALTRI DIALOGHI
USANDO LE ESPRESSIONI IDIOMATICHE.

F. PROVA AD INTERPRETARE I TUOI DIALOGHI. LEGGILI AD ALTA VOCE E VEDI CHE EFFETTO TI FANNO. CERCA DI ESSERE IL PIÙ ESPRESSIVO POSSIBILE!

G. NEI PROSSIMI GIORNI, TROVA ALTRE ESPRESSIONI IDIOMATICHE E CREA NUOVI DIALOGHI TRA I PERSONAGGI DI QUESTA PAGINA.

H. PRIMA DI SCRIVERE NELLE VIGNETTE, FOTOCOPIA QUESTA PAGINA E METTILA NEL DIARIO. AVRAI ALTRE VIGNETTE PER CREARE NUOVI DIALOGHI CON NUOVE ESPRESSIONI IDIOMATICHE.

COLORA IL TUO MANDALA

Giochiamo con le parole

COLORA IL TUO MANDALA

"Abbiamo parole per vendere/Parole per comprare,/
Parole per fare parole./Andiamo a cercare insieme/
Le parole per pensare…"

Gianni Rodari

Questi sono i primi versi della poesia di G. Rodari Le parole. Trova il seguito del testo su internet e scrivilo a PAG. 56.

A. TROVA IN QUESTE DUE GRIGLIE DI LETTERE IL MAGGIOR NUMERO DI PAROLE IN UN TEMPO LIMITATO. SCRIVI LE TUE PAROLE INTORNO ALLE GRIGLIE.

ISTRUZIONI DEL GIOCO DEL PAROLIERE :

1. Puoi partire da una qualsiasi lettera sulla griglia e proseguire in verticale, orizzontale o diagonale.
2. Alla fine, calcola il tuo punteggio:
Parole di 3-4 lettere: 1 punto
Parole di 5 lettere: 2 punti
Parole di 6 lettere: 3 punti
Parole di 7 lettere: 5 punti
Parole di 8+ lettere: 8 punti

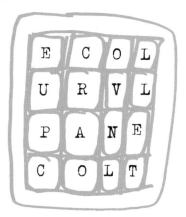

B. SE HAI UN AMICO CHE PARLA ITALIANO, POTETE GIOCARE IN DUE E FARE UNA BELLA PARTITA!
OPPURE, VAI SU ILPAROLIEREONLINE.IT E CONTINUA A GIOCARE CON ALTRI GIOCATORI .

Chissà, chissà, domani...

"Qualunque decisione tu abbia preso per il tuo futuro, sei autorizzato, e direi incoraggiato, a sottoporla ad un continuo esame, pronto a cambiarla, se non risponde più ai tuoi desideri"

Rita Levi-Montalcini

Cosa farai domani? Scrivilo a PAG. 56.

A. RITORNA AL QUADRO VISIVO DEL TUO MESE D'ITALIANO. TI SEMBRA DI AVER REALIZZATO ALCUNI DEI TUOI OBIETTIVI? QUALI?

....

....

B. COSA FARAI QUANDO AVRAI FINITO QUESTO DIARIO?

1. ....

2. ....

3. ....

4. ....

5. ....

Qual è il tuo sogno nel cassetto?

È un segreto... Non te lo dico, se no non si realizza...!

RICORDA: hai già scritto una pagina di diario in italiano questa settimana? Se non l'hai ancora fatto, vai a PAG. 21 e scrivila oggi.

LA MIA VITA FRA CINQUE ANNI

C. *IMMAGINA LA TUA VITA FRA CINQUE ANNI.*

DOVE VIVRÒ?

CHE COSA FARÒ?

CON CHI VIVRÒ?

COME SARÀ IL MIO ITALIANO?

DATA DI OGGI

FIRMA

D. *RITAGLIA QUESTA PAGINA, CHIUDILA IN UNA BUSTA, RIPONILA IN UN CASSETTO O IN UN POSTO SICURO PER NON PERDERLA. PUOI AGGIUNGERE DELLE FOTO O DELLE IMMAGINI. RIAPRILA SOLO FRA 5 ANNI!*

COLORA IL TUO MANDALA

RICORDA: Oggi trova alcune nuove espressioni idiomatiche, vai a PAG. 65 e scrivi un nuovo dialogo tra due personaggi.

Premio italiano della 4ª settimana

EVVIVA!
Hai finito la 4ª
settimana del tuo
diario italiano!
Come ti senti?

DATA

....

NOME

....

IL MIO PREMIO È

....

FIRMA

....

Congratulazioni!

E PER FINIRE, FAI CADERE QUALCHE GOCCIA DEL TUO APERITIVO PREFERITO SU QUESTO FOGLIO!

HAI VINTO LA SFIDA DEL TUO DIARIO DI ITALIANO!

APERITIVO ALL'ITALIANA!

PER FESTEGGIARE, INVITA I TUOI AMICI PER UN APERITIVO ALL'ITALIANA. È UN MODO DIVERTENTE E FACILE PER STARE INSIEME SENZA DOVER PREPARARE TANTI PIATTI COMPLICATI.

LASCIA QUI LA PROVA DELLA TUA SERATA.

NUMERO DEGLI INVITATI ....

DATA E ORA DELLA SERATA

....

STUZZICHINI

....

....

....

BEVANDE

....

....

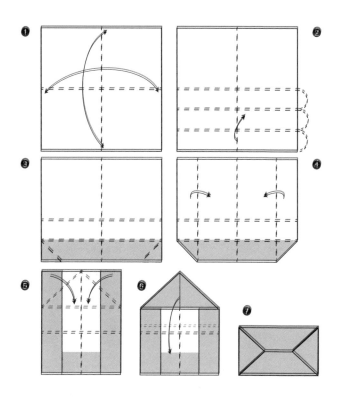

REALIZZA LA BUSTA
DEI TUOI RICORDI ITALIANI

RACCOGLI IN QUESTA BUSTA
TUTTO IL MATERIALE IN
ITALIANO CHE TI HA ISPIRATO
E ACCOMPAGNATO IN QUESTA
SFIDA DI 30 GIORNI.

SEGUI LE ISTRUZIONI QUI A
FIANCO.

QUALE ATTIVITÀ
DEL DIARIO TI È
PIACIUTA DI PIÙ?

LA TUA OPINIONE CONTA!
DAI IL TUO VOTO AL DIARIO ———

FAI UNA FOTO DELLA TUA
PAGINA PREFERITA E MANDALA
AI TUOI AMICI O CONDIVIDILA
SUI SOCIAL NETWORK.

E SOPRATTUTTO... CONTINUA
L'AVVENTURA DEI DIARI CREATIVI
PER PENSARE E VIVERE IN
ITALIANO!

Direzione editoriale: Ciro Massimo Naddeo
Redazione: Carlo Guastalla
Ideazione e testi: Leila Brioschi
Copertina, progetto grafico, illustrazioni e
impaginazione: Pontus Dahlström

Un grande grazie a Carlo, il mio editor, e a Pontus, il mio
grafico, illustratore e amico caro, per aver creduto in questo
progetto e per avermi sempre accompagnata con entusiasmo e
con passione; a Austin Kleon e al suo diario per avermi ispirata
e incoraggiata a portare avanti il mio progetto; a tutte le altre
risorse utili che troverete qui sotto e che spero ispireranno
anche voi; ai miei amici e specialmente a Tatiana e Viviane che
mi hanno sempre spronata; alla mia famiglia e in particolare ai
miei bambini che, grazie al loro entusiasmo e alla loro voglia di
giocare e divertirsi, sono fonte di gioia e ispirazione quotidiana.
— Leila Brioschi

Libri da cui ho tratto ispirazione per il Diario:
- Julia Cameron, «The Artist's Way. A Spiritual Path
  to Higher Creativity», Pan MacMillan, 1993
- Marion Charreau, «Le français vu du ciel. Voyage illustré
  en langue française», Zeugmo Éditions, 2015
- Bernard Friot, «Carnet du (presque) poète»,
  Éditions de la Martinière, 2007
- Elisabeth Gilbert, «Big Magic. Creative Living Beyond Fear»,
  Riverhead Books, 2016
- Nicoletta Grillo, «Lasciatemi divertire. Quaderno di
  un poeta in erba», RAUM Italic Edizioni, 2018
- Austin Kleon, «Steal Like an Artist Journal. A Notebook for
  Creative Kleptomaniacs», Workman Publishing, 2015
- «Vive la poésie, cahier d'activités», Minus Éditions, 2015
- Gianni Rodari, «La grammatica della fantasia»,
  Einaudi Edizioni, 1997
- Keri Smith, «Risveglia la città», Terre di mezzo Editore, 2015

Pagine che hanno ispirato direttamente
alcune attività del Diario:
1. A pagina 25, le barzellette sono tratte da: «Storie per ridere,
   Storie Italiano facile», Alma Edizioni, 2017, p.22,23
2. A pagina 42, il punto B con la descrizione della città è
   liberamente ispirato a: leszexpertsfle.com (Ma ville)
3. A pagina 57, il punto A con i titoli dei giornali ritagliati per
   creare notizie inventate è liberamente ispirato a: Austin
   Kleon, «Steal Like an Artist Journal. A Notebook for Creative
   Kleptomaniacs», Workman Publishing, 2015 (Make a poem
   out of Newspaper headlines)

Printed in Italy
ISBN 978-88-6182-642-7
Prima edizione: marzo 2020

ALMA Edizioni
Via dei Cadorna, 44
50129 Firenze
alma@almaedizioni.it
www.almaedizioni.it